3-6 ans

Les plus belles comptines des p'tits lascars

Collectage, commentaires

*Michèle **Garabédian***
*Magdeleine **Lerasle***
*Françoise **Pétreault***

Illustrations

*Denis **Cauquetoux** (pages 8, 14, 22, 30, 34)*
*Corinne **Chalmeau** (pages 10, 18, 24, 32, 40)*
*Stefany **Devaux** (couverture et pages 6, 16, 20, 26, 28, 38)*
*Anne isabelle **Le Touzé** (pages 12, 36, 48, 49, 50-57 : gestuelles)*

SOMMAIRE

Pomme de reinette et pomme d'api

Pomme de reinette et pomme d'api,
Tapis, tapis rouge,
Pomme de reinette et pomme d'api,
Tapis, tapis gris.

Cachez un poing derrière votre dos
Ou vous aurez un coup de marteau !

Pomme de rei - nette et pomme d'a - pi,
Ta - pis, ta - pis rou - ge, Pomme de rei - nette et
pomme d'a - pi, Ta - pis, ta - pis gris.
Ca - chez un poing der - rière vot'
dos Ou vous au - rez un coup d'mar - teau !

Mes p'tites mains font tap ! tap ! tap !

Mes p'tites mains font tap ! tap ! tap !
Mes p'tits pieds font paf ! paf ! paf !
Un, deux, trois,
Un, deux, trois,
Trois p'tits tours et puis s'en va !

Mes p'tites mains font tap ! tap ! tap !
Mes p'tits pieds font paf ! paf ! paf ! Un, deux, trois,
Un, deux, trois, Trois p'tits tours et puis s'en va !

Tape, tape, petites mains

Tape, tape, petites mains,
Tourne, tourne, petit moulin,
Vole, vole, petit oiseau,
Nage, nage, petit matelot.

Mes p'tites mains tapent, tapent

Mes p'tites mains tapent, tapent,
Elles tapent en haut,
Elles tapent en bas,
Elles tapent par ci,
Elles tapent par là.

Mes p'tites mains frottent, frottent,
(. . .)

Mes p'tites mains tournent, tournent,
(. . .)

Monsieur Pouce

Monsieur Pouce est dans sa maison. (bis)
Toc ! toc ! toc !
Qui est là ?
C'est moi…
Chut ! Je dors !
Mais… Toc ! toc ! toc !
Qui est là ?
C'est moi…
Ah ! Je sors !

Voici ma main

Voici ma main,
Elle a cinq doigts,
En voici deux, en voici trois.

Pomme, pêche, poire

Pomme, pêche, poire, abricot,
Y'en a une, y'en a une,
Pomme, pêche, poire, abricot,
Y'en a une de trop !

U-ne sou-ris ver-te qui cou-rait dans
l'her-be, Je l'at-tra-pe par la queue,
Je la montre à ces mes-sieurs, Ces mes-sieurs me di-sent :
« Trem pez-la dans l'hui-le, Trem-pez-la dans
l'eau, Ça fe-ra un es-car-got tout chaud. »

Une souris verte

Une souris verte qui courait dans l'herbe,
Je l'attrape par la queue,
Je la montre à ces messieurs,
Ces messieurs me disent :
« Trempez-la dans l'huile,
Trempez-la dans l'eau,
Ça fera un escargot tout chaud. »

Marie, trempe ton pain

Marie, trempe ton pain ! (bis)
Marie, trempe ton pain dans la soupe.
Marie, trempe ton pain ! (bis)
Marie, trempe ton pain dans le vin.

Nous irons dimanche, à la maison blanche.
Toi en nankin,
Moi en tonkin,
Tous deux en escarpins.

J'ai - me la ga - let - te, Sa - vez-vous com -
- ment ? Quand elle est bien fai - te, A - vec du beurre de -
- dans, Tra la la la la la la la
lè - re, Tra la la la la la la la
la, Tra la la la la la la la
lè - re, Tra la la la la la la la la.

J'aime la galette

Les pigeons sont blancs ? Ouiii…
Ils sont verts et gris ? Ouiii…
Tourne ton dos, Marie.

La galette est-elle bien cuite ? Ouiii…
La galette est-elle bien dorée ? Ouiii…
La galette est-elle bien sucrée ? Ouiii…
Tournons la galette.

J'aime la galette,
Savez-vous comment ?
Quand elle est bien faite,
Avec du beurre dedans.

Tralalala lalala lalère,
Tralalalalalalalala (bis)

Le visage

Beau front,
Beaux yeux,
Nez de cancan,
Bouche d'argent,
Menton fleuri,
Guili-guili.

Je te tiens, tu me tiens

Je te tiens, tu me tiens
Par la barbichette.
Le premier qui rira
Aura une tapette.
Un, deux, trois.

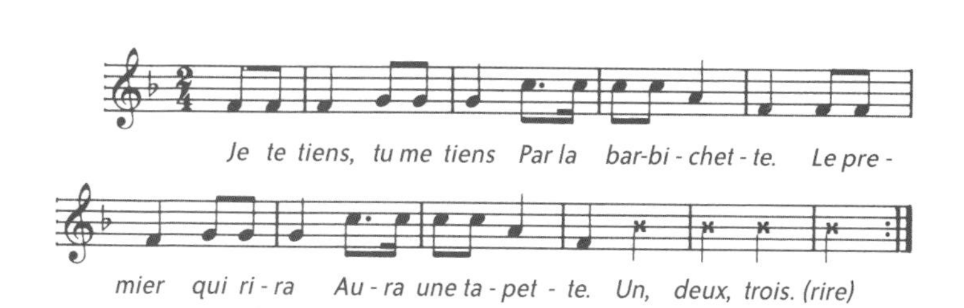

Ma tante vend des pommes

Ma tante vend des pommes,
Elles sont rouges et vertes,
Vertes par-dessus,
Tourne-toi petit bossu !

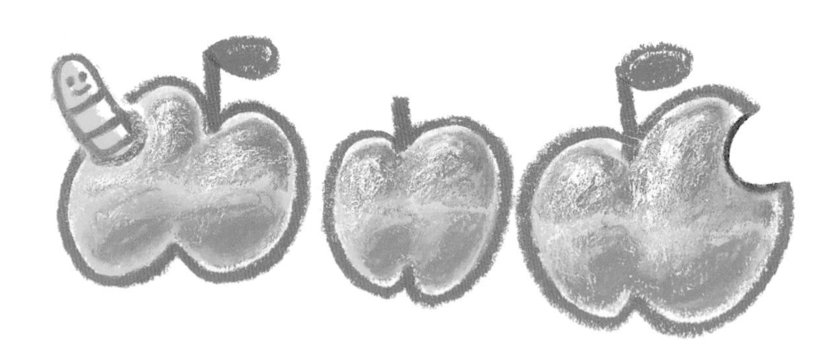

Je fais un pas en a - vant Je fais un
pas en ar - rière Je tour - ne, tour - ne,
tour - ne Je tour - ne sur moi - mê - me Je
danse le boo - gie - woo - gie Wouah !
Et je vais plus loin.

Je fais un pas en avant
Je fais un pas en avant,
Je fais un pas en arrière,
Je tourne, tourne, tourne,
Je tourne sur moi-même,
Je danse le boogie-woogie,
Wouah ! Et je vais plus loin.

Il é - tait un pe - tit chat, Mia - ou, mia -
- ou. Il é - tait un pe - tit chat Qui n'é-cou -
- tait Ni ma - man, ni pa - pa.
Un jour dans sa tasse de lait, Mia - ou, mia - ou. Un jour
dans sa tasse de lait...Oh ! Il vit une mou-che qui bu-vait.

Il était un petit chat

Il était un petit chat,
Miaou, miaou.
Il était un petit chat,
Qui n'écoutait
Ni maman, ni papa.

Un jour dans sa tasse de lait…
Oh ! Il vit une mouche qui buvait.

Le petit chat veut l'attraper…
Oh ! Mais la mouche s'est envolée.

Le petit chat fit un grand saut…
Oh ! Et chavira la tasse de lait.

La maman est arrivée…
Pan ! pan ! pan ! Et le petit chat a frappé.
« Pauvre petit chat ! »

Meunier, tu dors

Meunier, tu dors,
Ton moulin, ton moulin va trop vite,
Meunier, tu dors,
Ton moulin, ton moulin va trop fort.

Ton moulin, ton moulin
Va trop vite.
Ton moulin, ton moulin
Va trop fort.
(bis)

Meunier, tu dors,
Et le vent, et le vent souffle, souffle,
Meunier, tu dors,
Et le vent, et le vent souffle, souffle fort.

Et le vent, et le vent
Souffle vite.
Et le vent, et le vent
Souffle fort.
(bis)

Meu - nier, tu dors, Ton mou -
- lin, ton moulin va trop vi - te, Meu - nier, tu
dors, Ton mou - lin, ton mou-lin va trop fort.
Ton moulin, ton moulin Va trop vi - te. Ton mou -
- lin, ton moulin Va trop fort. Ton mou -
- lin, ton moulin Va trop vi-te. Ton moulin, ton moulin Va trop fort.

La famille Tortue

Jamais on n'a vu,
Jamais on ne verra
La famille Tortue
Courir après les rats.
Le papa Tortue,
Et la maman Tortue,
Et les enfants Tortue
Iront toujours au pas.

Un, deux, trois

Un, deux, trois,
Je m'en vais au bois,
Quatre, cinq, six,
Cueillir des cerises,
Sept, huit, neuf,
Dans un panier neuf,
Dix, onze, douze,
Elles sont toutes rouges.

Un, deux, trois, Je m'en vais au bois, Quatre, cinq,
six, Cueil-lir des ce - rises, Sept, huit, neuf, Dans un
pa - nier neuf, Dix, onze, douze, El - les sont toutes rouges.

Le fermier et le lapin

Un petit lapin
Est caché dans le jardin.
« Cherchez-moi, coucou, coucou,
Je suis caché sous un chou. »
Le fermier passe et repasse
En tirant sur sa moustache
Et ne trouva rien du tout ;
Le lapin mangea le chou.

Dans sa mai - son un grand cerf Re - gar - dait par
la fe - nê - tre Un la - pin ve - nir à lui,
Et frap - per à l'huis. – Cerf ! Cerf ! Ou - vre-moi
Ou le chas - seur me tue - ra ! – La - pin, la - pin,
Entre et viens Me ser - rer la main.

UN GRAND CERF

Dans sa maison un grand cerf
Regardait par la fenêtre
Un lapin venir à lui,
Et frapper à l'huis.
– Cerf ! Cerf ! Ouvre-moi
Ou le chasseur me tuera !
– Lapin, lapin, entre et viens
Me serrer la main.

Une poule sur un mur

Une poule sur un mur
Qui picotait du pain dur,
Picoti, picota,
Lève la patte
Et puis s'en va.

COMMENTAIRES

Michèle Garabédian
et Magdeleine Lerasle
Enseignants-chercheurs à l'École normale supérieure de Fontenay-Saint-Cloud

Françoise Pétreault
Inspectrice de l'Éducation nationale

Ces commentaires ont été élaborés par une équipe d'auteurs
de l'École normale supérieure de Fontenay-Saint-Cloud.

Vous y trouverez nombre d'idées pour partager de bons moments
avec votre enfant, complétées d'informations sur :
- l'origine de chaque comptine et ses variantes,
- son rôle pédagogique, son intérêt pour l'enfant,
- les gestes, mimiques et jeux à mettre en scène.

Les comptines que vous avez réunies ici correspondent tout à fait à l'univers du tout-petit. Certaines sont bien connues des parents, d'autres moins. D'où viennent-elles ? Où les avez-vous trouvées ?

Il est bien difficile de dire qui, un jour, a inventé *Mes p'tites mains font tap ! tap ! tap !*, quel adulte bienveillant a raconté, un jour, il y a longtemps, *Monsieur Pouce* à un bébé émerveillé de découvrir ses mains, quelle nourrice a, pour la première fois, caressé le visage d'un enfant en lui murmurant : *Beau front, beaux yeux, nez de cancan*... et l'a chatouillé sous le menton avec un *guili-guili*. Bien entendu, les auteurs sont anonymes. Ces formulettes appartiennent à la tradition orale populaire, elles se perdent dans la nuit des « temps antiques où les civilisations transmettaient, verbalement, de bouche à oreille, l'essentiel de leur savoir, de leurs mythes, de leur sagesse... »*.

On peut bien sûr remonter, un peu, le fil de la mémoire parlée mais, surtout, on peut consulter les différents recueils de comptines et formulettes collectées depuis le XVIe siècle.

Cependant, certaines d'entre elles peuvent être datées grâce à l'objet même qu'elles évoquent. Ainsi, par exemple, *Meunier tu dors*, qui ne peut être antérieure à l'apparition du moulin à vent. Dans *Je fais un pas en avant*, il est évident que les paroles de la fin de la chanson – *Je danse le boogie-woogie* – sont un ajout tardif, qui date des années 40.

Voilà pour l'origine. Nos choix ont été portés par notre expérience (dans les crèches, les classes ou les cours de récréation, par exemple) et, bien évidemment, par notre mémoire. Nous avons également puisé dans les nombreux recueils trouvés dans les bibliothèques (ainsi le recueil paru chez Seghers : *Comptines de langue française*).

* Jean Baucomont, *Comptines de langue française*, Seghers, 1970.

Pourquoi les jeux de doigts sont-ils tellement importants ?

Parce qu'ils sont un puissant moteur de socialisation pour l'enfant qui grandit.

Le jeu de doigts permet au tout-petit de faire deux choses en même temps : d'une part, il s'identifie aux personnages que représentent ses doigts, d'autre part il s'en démarque en racontant leur histoire. Ainsi, par exemple, lorsque l'enfant raconte *Monsieur Pouce*, il est alternativement monsieur Pouce droit, puis monsieur Pouce gauche, et il est, en même temps, celui qui orchestre le tout et joue avec les personnages. L'enfant joue déjà avec la représentation de l'autre. Il entre dans l'univers du symbolique, il prend conscience du pouvoir de la parole.

C'est fondamental.

Par ailleurs, on sait maintenant que le centre de la parole et le centre moteur de la main sont intimement liés. Les jeux de doigts permettent donc à l'enfant d'établir une relation directe entre ce qu'il fait, ce qu'il dit et ce qu'il pense.

Enfin, ce sont des jeux dans lesquels le rôle de l'adulte est fondamental. Par la voix, les gestes, il désigne, chatouille, caresse, rassure... Il crée un lien essentiel, dont l'enfant gardera le souvenir afin qu'à son tour il soit le maillon qui transmette ces jeux à ses propres enfants.

C'est au cours de votre travail autour de l'apprentissage précoce des langues que *Les Petits Lascars* ont vu le jour. Pourquoi vous êtes-vous intéressée aux comptines ?

Parce qu'elles sont un support très riche pour l'apprentissage de la langue. La comptine est une petite merveille phonétique et syntaxique. Elle véhicule les sons, les tournures ainsi que le rythme et la mélodie propres à chaque langue.

En chantant des comptines, l'enfant acquiert des savoirs grammaticaux pointus (inversion du sujet ou du complément, formes de conjugaison complexes...) et comprend les règles de communication, et ce, bien avant de les apprendre de façon plus formelle à l'école.

Enfin, par les nombreuses allusions historiques, géographiques ou scientifiques qu'elles contiennent, elles permettent de satisfaire l'énorme curiosité, l'énorme envie d'apprendre des enfants – pour peu que les adultes sachent répondre à leurs questions.

Le CD donne l'impression d'une grande vitalité. Qui sont les enfants qui chantent ?

C'est un groupe d'enfants, âgés de 4 à 8 ans, avec leur maîtresse. Ces enfants d'origine étrangère (Algériens, Marocains, Tunisiens, Espagnols, Italiens, Portugais, Américains, Zaïrois) et français sont tous scolarisés en France. Chaque enfant chante avec sa voix, plus ou moins haut, plus ou moins juste. Nous n'avons pas voulu gommer les imperfections, on entend ainsi mieux leur joie de vivre !

Comment se servir du livre et du CD ? Quels conseils donneriez-vous aux parents ?

L'enfant prendra plaisir à écouter le CD et à feuilleter tout seul le livre si, et seulement si, l'adulte l'a d'abord écouté avec lui.

Le plaisir pour l'enfant est d'abord un plaisir du moment partagé.

C'est l'adulte qui, en lui montrant les images, en fredonnant les chansons, va lui donner envie de faire la même chose. Il faut d'abord accompagner l'enfant dans cette découverte pour qu'à son tour il puisse, de façon autonome, écouter le disque et/ou regarder le livre.

On peut bien sûr dissocier les deux supports : chanter en regardant le livre, ou écouter le disque en toute liberté. L'ensemble n'a de sens que si chacun se l'approprie à sa façon. L'essentiel est de chanter, de jouer, de mimer, de « vivre » les comptines avec tout son corps, avec toutes ses émotions !

Magdeleine Lerasle
interrogée par Michèle Moreau

POMME DE REINETTE ET POMME D'API (pages 6-7) est une comptine très connue qui permet à l'enfant de découvrir son corps et l'espace qui l'entoure.

Ses poings se martèlent, sur le rythme des quatre premiers vers, puis ses bras s'écartent dans un large mouvement. L'enfant met un poing derrière son dos et le fait revenir devant lui. Il mime ensuite le coup de marteau en le laissant retomber sur l'index tendu, comme s'il l'écrasait. C'est un grand plaisir pour lui de faire semblant d'avoir mal : *Aïe, aïe, aïe, aïe, aïe !*

Il existe une autre version de cette comptine : au lieu de prononcer *Tapis, tapis rouge*, on prononce *D'api, d'api rouge*. Mais il nous semble plus intéressant de choisir de dire *Tapis* pour créer une opposition phonétique, permettant à l'enfant de distinguer, puis de reproduire deux sons très proches mais différents : *t/d*.

MES P'TITES MAINS FONT TAP ! TAP ! TAP ! ; **TAPE, TAPE, PETITES MAINS** et **MES P'TITES MAINS TAPENT, TAPENT** (pages 8-11) appartiennent au répertoire des jeux de doigts. À travers ces trois comptines, l'enfant fait ses premiers apprentissages et découvre son corps qu'il regarde et qu'il bouge. Il tape dans ses mains, il tape avec ses pieds et recrée des rythmes à travers des gestes simples. Avec ses bras, il imite l'oiseau qui vole, ou le poisson qui nage, en faisant la brasse.

Monsieur Pouce (page 12) se joue comme une petite pièce de théâtre et met en scène deux personnages : monsieur Pouce droit et monsieur Pouce gauche. L'enfant anime tour à tour ses deux pouces, comme des marionnettes. Il est en même temps acteur et régisseur, acteur et réalisateur. Il peut varier à l'infini jeux et mimiques des personnages en créant alternativement un monsieur Pouce content, triste ou encore en colère. La version proposée est l'une des interprétations possibles. Cette comptine entraîne l'adhésion totale de l'enfant, qui prend conscience du pouvoir du langage et du plaisir des mots.

Voici ma main (page 13) permet de retrouver le plaisir de jouer avec sa main, mais ici, les mouvements sont extrêmement précis. L'enfant doit associer étroitement rythme, gestes et paroles. En fait, il s'agit d'éduquer la main, de fortifier les doigts, les muscles, d'assouplir les articulations, d'où ces gestes de tension, d'écartement, de repli et de contraction. Cette nouvelle conquête sur le plan moteur se répercute sur la maîtrise de la parole. C'est parce que l'enfant investit l'un de ces domaines qu'il va développer l'autre.

Il existe une suite à cette comptine qui s'adresse davantage aux plus grands :
Le premier, ce gros bonhomme,
C'est le pouce qu'il se nomme.
L'index qui montre le chemin
Est le second doigt de la main.
Entre l'index et l'annulaire,
Le majeur se dresse en grand frère.
L'annulaire porte l'anneau,
Avec sa bague, il fait le beau.
Le minuscule auriculaire
Suit partout comme un petit frère.

POMME, PÊCHE, POIRE (pages 14-15) appartient au registre, très riche, des comptines énumératives, telles que :

Un petit cochon pendu au plafond.
On lui tire la queue, il pondra des œufs,
Combien en voulez-vous, Monsieur ?
Trois
Un, deux, trois, tu sors !

On peut faire varier la fin de *Pomme, pêche, poire* et terminer par *Qui s'appelle Marie-Margot*.

Dans certaines régions de France, on parle même de *faire la poire* ou bien encore *faire amstramgram*.

Les enfants aiment beaucoup ce genre de partage, qui échappe à l'autorité de l'adulte : le sort désigne celui qui doit sortir, celui qui doit aller au milieu et celui qui va dans l'autre équipe. Ce rituel exige beaucoup de sérieux : il y a des rôles à respecter. C'est un jeu avant le jeu, et peut-être même plus important que le jeu lui-même !

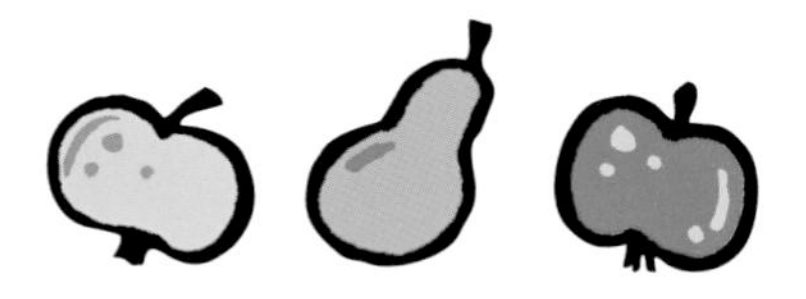

UNE SOURIS VERTE (pages 16-17) appartient aux comptines incontournables de la langue française. Avec *Pomme de reinette et pomme d'api* et *Une poule sur un mur*, elle est l'une des plus connues.

Il en existe de nombreuses versions. Et, généralement, les enfants français la connaissent sans jamais l'avoir vraiment apprise. L'interprétation choisie ici est très fantaisiste. Le côté poétique et farfelu des paroles est mis en évidence par la voix des enfants qui monte, et l'articulation exagérée des mots *verte* et *herbe*.

Les jeux vocaux sont destinés à donner encore plus de plaisir.

L'enfant invente et rajoute souvent à la comptine de nombreux couplets qui font vivre à la souris d'autres aventures :

– *Je la mets dans un tiroir, elle me dit qu'il fait trop noir.*
– *Je la mets dans mon chapeau, elle me dit qu'il fait trop chaud.*
– *Je la mets dans ma culotte, elle me fait trois petites crottes.*

Ce dernier couplet est la version moderne et édulcorée d'un couplet déjà présent au XIXe siècle :

– *Je la mets dans ma culotte, elle me mange ma p'tite carotte.*

Ces paroles provoquent chez les enfants un éclat de rire irrésistible ; ils comprennent très vite cette situation grivoise et le caractère tabou de certains mots. Le rire permet de transgresser l'interdit.

L'association poétique de *verte* à *souris* et de *tout chaud* à *escargot* crée des images qui nourrissent l'imaginaire enfantin. Elles font écho à *L'oiseau bleu* des contes de fées, *La panthère rose* des dessins animés, *La fourmi de dix-huit mètres* de Robert Desnos...

On peut très bien imaginer une gestuelle pour illustrer cette comptine. Les doigts de la main gauche courent sur une table pour *Une souris verte qui courait dans l'herbe*, les doigts de la main droite attrapent l'index gauche, censé représenter la queue de la souris, puis le relâche. L'index est alors pointé à l'horizontale pour *Je la montre à ces messieurs*. Puis, la main droite se tranforme en puits ou pot, dans lequel on viendra enfoncer l'index afin de mimer les différentes manipulations proposées. Il se replie ensuite, et la main, poing fermé, avec le pouce sorti, représente la spirale d'un *escargot tout chaud* !

Une souris verte
qui courait
dans l'herbe,

je l'attrape
par la queue,

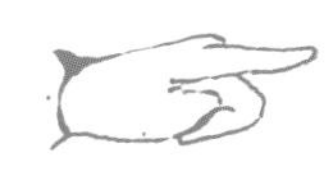

je la montre
à ces messieurs...

Trempez-la dans l'huile,
trempez-la dans l'eau,

Ça fera un escargot
tout chaud.

Marie, trempe ton pain (pages 18-19) est le soutien d'un jeu moteur qui se déroule comme une petite séance de gymnastique. Il permet à l'enfant de percevoir l'articulation et l'indépendance des deux parties de son propre corps : le haut et le bas.

Le haut du corps se plie et se déplie sur le rythme du refrain, il se casse en deux comme un pantin. Le bas du corps, lui, reste solidement campé dans le sol.

À la succession des mouvements saccadés du refrain, répond la marche lente du couplet, avec des gestes souples des jambes et des bras. L'enfant se déplace dans l'espace harmonieusement. Puis, lorsque le refrain reprend, les enfants recommencent les mouvements de flexion saccadés.

Cette chanson date probablement de la conquête coloniale du Tonkin (1882-1885). Elle met en scène deux paysans qui, par moquerie, se rendent à la maison blanche du patron, déguisés en Chinois. Ils sont en fait vêtus comme les riches de l'époque. Les symboles de luxe et de raffinement (escarpins, tissu jaune vif de la ville chinoise de Nankin, chapeau conique en paille de riz du Tonkin) s'opposent ainsi à la vieille coutume campagnarde de tremper son pain dans sa soupe et dans son vin, jugée vulgaire par le monde aristocratique et bourgeois. Les enfants d'aujourd'hui qui chantent et miment cette comptine ne savent pas qu'à cette époque, ceux qui défendaient le monde paysan disaient : *le sabot vaut bien l'escarpin !*

Marie, trempe ton pain !
Marie, trempe ton pain !

Nous irons dimanche, à la maison blanche.

Toi en nankin,

moi en tonkin...

J'aime la galette...
Quand elle est bien faite...

J'aime la Galette (pages 20-21) est une ronde chantée, très connue du public enfantin. La gestuelle évoque la galette qui gonfle et se dégonfle, la pâte qui lève dans le four puis le plaisir de la manger. L'un après l'autre, les enfants sont invités à tourner le dos, tout en restant dans la ronde. La danse continue jusqu'à ce que tous les enfants soient dos à dos. Le mouvement vers le centre du cercle est alors d'une drôlerie irrésistible. Rattachée aux fêtes de l'Épiphanie, cette comptine est chantée au moment où l'on coupe la galette des rois.

...savez-vous comment ?
...avec du beurre dedans.

Le Visage (page 22) est un jeu de nourrice, qui ravit les tout-petits. L'adulte caresse le front, les yeux, le nez, la bouche, le menton et termine par un chatouillis !

Tourne ton dos, Marie.

Je te tiens, tu me tiens (page 23) est un jeu moteur qui se joue à deux, en face à face. L'enfant et son interlocuteur se regardent les yeux dans les yeux et se tiennent mutuellement le menton. Ils ne doivent surtout pas pouffer. L'enfant se rend ainsi compte de la puissance du langage : avec des mots, on fait rire.

Ma tante vend des pommes (pages 24-25) est une petite ronde intégrant un changement d'orientation dans l'espace. La comptine est donc le prétexte à l'acquisition d'un mouvement difficile pour le tout-petit. En effet, à *Tourne-toi petit bossu !* l'enfant désigné doit lâcher les mains, se retourner, redonner les mains à ses camarades et continuer à marcher dans le sens de la ronde. Ce qui revient à changer deux fois de direction. La conquête de ce mouvement par l'enfant, à travers les mots simples de la comptine, constitue une étape vers l'abstraction spatiale sur le plan cérébral.

Ma tante vend des pommes...

Je fais un pas en avant (pages 26-27) est un petit jeu moteur où toutes les étapes sont expliquées à l'enfant : il dit, il fait. Cette démarche linéaire simple s'oppose à la complexité mentale de *Ma tante vend des pommes*. L'enfant apprend là la maîtrise de son corps avec des gestes simples : faire un pas, tourner, marcher, sautiller.

Tourne-toi petit bossu !

Il était un petit chat (pages 28-29) appartient au répertoire des comptines narratives et raconte, à travers des bruitages, les aventures d'un petit chat. Cette comptine est facile à apprendre et à mémoriser.

Le refrain *Miaou, miaou*, qui ponctue l'ensemble et annonce à chaque fois le couplet suivant, aide également à retenir le texte. De même que les gestes, les bruits et les onomatopées, qui accompagnent la narration.

Il était un petit chat met en scène des personnages au caractère marqué : le petit chat désobéissant (qu'on retrouve dans de nombreuses chansons, comme *Il était une bergère*), la mouche coquine, la maman en colère.

L'intonation rend compte de ces traits de caractère et joue donc un rôle important dans la compréhension. Cette comptine a l'allure d'une petite leçon de morale illustrée, telle qu'on en lisait dans les institutions éducatives du début du siècle.

MEUNIER, TU DORS (pages 30-31) est un chant très connu des petits enfants, qui miment tour à tour avec leurs mains le meunier qui dort et le moulin qui tourne. Il peut également servir de support à une ronde marchée sur le couplet, sautillée sur le refrain ou bien encore mimée (on marche en mimant les ailes du moulin qui tournent).

Cette comptine peut aussi être chantée à un tout-petit sur sa table à langer. L'adulte aidera l'enfant à tourner ses bras ou à agiter ses jambes de plus en plus vite. C'est un vrai moment de bonheur !

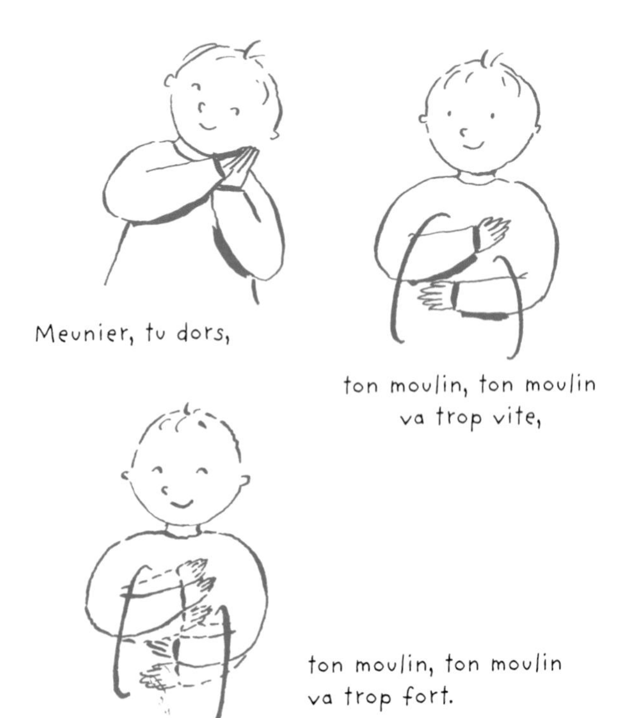

LA FAMILLE TORTUE (pages 32-33) est une petite chanson qui met en scène une famille rigolote et ne peut que plaire à l'enfant. Des tortues braves, rondes et lentes s'opposent à des rats rapides, tellement rapides qu'on ne les voit pas, d'ailleurs.

Ce que l'enfant aime aussi, c'est entendre ces expressions de l'impossibilité (*Jamais on n'a vu, jamais on ne verra*), à la manière de Robert Desnos dans *Une fourmi de dix-huit mètres* : *Mais non, ça n'existe pas !*

On peut mimer, tour à tour, le papa Tortue, grand et costaud, la maman Tortue, plus ronde, et les enfants Tortue, tout petits.

UN, DEUX, TROIS (pages 34-35) existe également en plusieurs versions : *Je m'en vais* peut devenir *J'irai dans* ou *Nous allons*. De même que *Elles sont* peut être conjugué au futur : *Elles seront toutes rouges*.

Ce qui est important, c'est de faire rimer *trois* avec *bois* et *rouge* avec *douze* même s'il ne s'agit pas là d'une vraie rime mais d'une assonance.

Grâce à cette comptine, l'enfant apprivoise les chiffres. Il apprend d'abord à les chanter, grâce aux rimes et assonances, puis, plus tard, il découvrira leur signification. Il pourra alors s'amuser à compter les cerises dans leurs cases.

Le fermier et le lapin (pages 36-37) raconte l'histoire d'un petit lapin malin, qui joue à cache-cache avec le jardinier, et mange tous les choux du jardin. Cette comptine rejoint les innombrables contes, histoires et fabulettes où la ruse du petit l'emporte sur la force et la puissance du grand. Cela touche directement l'enfant, qui s'identifie bien évidemment toujours au petit !

Dès lors, il mime l'action de se cacher sous un chou, puis il appelle le jardinier : *coucou, coucou* et se moque de lui. Ensuite, il change de personnage et joue le rôle du jardinier : le fermier passe et repasse d'un pas digne, en tirant sur sa moustache. Il ne voit pas le lapin. Enfin, il redevient le petit lapin malin qui mange le chou. On entend le bruit de la bouche : *miam, miam, miam*.

L'enfant, bien que très heureux de tenir le rôle du petit lapin malin, a aussi beaucoup de plaisir à jouer tous les personnages, et à changer de ton, de mimique, d'attitude. L'alternance de tous ces rôles décuple son plaisir ; il est le maître du jeu.

Là encore, des suites peuvent être imaginées et mimées ; ainsi :

Une petite souris est cachée dans le fournil. [...] Je suis cachée dans un trou ! L'boulanger passe et repasse [...] Il ne trouve rien du tout. La souris fait des crottes partout !

Ou

Un petit chaton est caché dans le carton [...] Je suis caché là-dessous ! L'épicier passe et repasse [...] Il ne trouva rien du tout. Le chaton fit pipi partout !

Le Grand Cerf (pages 38-39) est une chanson mimée à élision lexicale. À chaque nouvelle reprise, on enlève un substantif et on le remplace par *mm* ou *mm-mm*, suivant le nombre de syllabes :
Dans sa maison un grand cerf
Dans sa mm-mm un grand cerf
Dans sa mm-mm un grand mm, etc.

Dans sa maison

un grand cerf

regardait par la fenêtre

un lapin venir à lui,

et frapper à l'huis.

– Cerf ! Cerf !
Ouvre-moi

ou le chasseur
me tuera !

– Lapin, lapin, entre et viens
me serrer la main.

UNE POULE SUR UN MUR (pages 40-41) est une comptine aux innombrables versions :
Une poule sur un mur… lève la patte / la queue / son aile
Une poule sur un mur qui picote / qui picotait / picotera / du pain dur
Seul le *picoti, picota* est immuable.

Indépendamment du plaisir d'égrener la comptine, c'est sur ce *picoti, picota* qu'a été bâti le geste – un pincement du pouce et de l'index –, qui rythme tous les mots. Il permet de développer une prise fine chez l'enfant. En effet, dans les premiers temps, celui-ci saisit un objet avec toute sa main, paume à plat. Puis, au fur et à mesure de son développement moteur et cérébral, il apprend à se servir de ses doigts. Ce pincement est celui qui permettra plus tard à l'enfant de saisir un crayon, une feuille de papier. *La poule sur un mur* conduit donc tout droit à l'écriture !

Comptines et chansons aux éditions Didier Jeunesse

Retrouvez dans la collection « Les P'tits Lascars » :

Les jeux chantés des tout-petits

Coup de cœur de l'Académie Charles Cros

Sélectionnés par Évelyne Resmond-Wenz, ces jeux de doigts et comptines sont de petits trésors à redécouvrir, commentés et accompagnés de leurs variantes en fin d'album. 60 pages d'une gaieté contagieuse illustrées avec beaucoup de tendresse par Martine Bourre.

Sous la direction d'Yves Prual, Natalie Tual et Évelyne Resmond-Wenz chantent, fredonnent et s'amusent avec les enfants, accompagnés à la guitare, au saxophone et aux percussions.

Un CD d'une grande fraîcheur pour aller à la rencontre d'un répertoire drôle et poétique qui ravit les tout-petits !

Découvrez aussi les autres livres-disques de Didier Jeunesse :

Contes et Opéras (36 à 72 p. / 23,50 €)
Monsieur Satie, l'homme qui avait un petit piano dans la tête • La flûte enchantée • Pierre et le loup • Roméo et Juliette • Peau d'Âne • Les Habits neufs de l'empereur • L'Oiseau de vérité • Drôles d'oiseaux • La Boîte à joujoux • Contes d'amour autour du monde • Guingamor, le chevalier aux sortilèges • La Callas, une invitation à l'Opéra • La chèvre de M. Seguin • La Petite Sirène • Moitié de coq • Ménagerimes • Swing Café

Comptines du monde (60 p. / 23,50 €)
Comptines et berceuses de Babouchka (comptines slaves) • À l'ombre de l'olivier (Maghreb) • Comptines et berceuses du baobab (Afrique noire) • Comptines et chansons du papagaio (Brésil et Portugal) • À l'ombre du flamboyant (comptines créoles) • Comptines du jardin d'Éden (comptines juives) • Comptines et berceuses des rizières (Asie) • Les plus belles berceuses du monde • Comptines et berceuses de Bretagne • Comptines de miel et de pistache (comptines arméniennes, grecques, kurdes, turques)

Les Petits Cousins (64 p. / 22,60 €)
Les plus belles comptines anglaises • Les plus belles chansons anglaises et américaines • Les plus belles comptines espagnoles • Les plus belles comptines italiennes • Les plus belles comptines allemandes

Comptines d'ici (60 à 72 p. / 17 à 23,50 €)
Au fil des flots • À pas de velours • Vacances à tue-tête ! • À pas de géant • Mon tout petit, mon déjà grand • Petits pouces dans la farine • Noël d'étoiles et de musique • Comptines des animaux de la ferme

Polichinelle (40 p. / 17,50 €)
Histoires et chansons pour les tout-petits
Oh hisse Petit Escargot ! • Sur le dos d'une souris • KaraBistouille • L'est où l'doudou d'Lulu ? • Je veux Maman • Les Amoureux du p'tit moulin • Lulu, la mouche et l'chat • Bulle et Bob à la plage • Bonne nuit Petit Kaki !

Pour en savoir plus sur nos livres-disques et écouter des extraits :

www.didierjeunesse.com